全方法硬笔楷书教程
——笔画讲习及书写专注力训练

吉建忠　编著

电子工业出版社
Publishing House of Electronics Industry
北京·BEIJING

内 容 简 介

本书是关于硬笔书法练习的初级教程，内容由浅至深、易学易懂。以图文的形式解决书法入门的很多常见问题，如几岁开始练字？为什么练字和平时写字不一样？以行笔路线图的形式，深入剖析笔法，从书法的角度提高专注力，夯实硬笔书法基本功。着重介绍练字的基本常识、练字的方法、汉字笔画讲解及练习、笔画测试、书写专注力训练等。

本书适合所有年龄段的学习者使用。

图书在版编目（CIP）数据

全方法硬笔楷书教程：笔画讲习及书写专注力训练 / 吉建忠编著 . —北京：电子工业出版社，2019.7

ISBN 978-7-121-36815-8

Ⅰ . ①全… Ⅱ . ①吉… Ⅲ . ①楷书 – 硬笔书法 – 教材 Ⅳ . ① J292.12

中国版本图书馆 CIP 数据核字（2019）第 111857 号

责任编辑：刘 芳 文字编辑：仝赛赛

印　　刷：北京虎彩文化传播有限公司

装　　订：北京虎彩文化传播有限公司

出版发行：电子工业出版社

　　　　　北京市海淀区万寿路 173 信箱　邮编：100036

开　　本：889×1 194 1/16 印张：4 字数：128 千字

版　　次：2019 年 7 月第 1 版

印　　次：2021 年 5 月第 4 次印刷

定　　价：32.50 元

凡所购买电子工业出版社图书有缺损问题，请向购买书店调换。若书店售缺，请与本社发行部联系，联系及邮购电话：（010）88254888，88258888。

质量投诉请发邮件至 zlts@phei.com.cn，盗版侵权举报请发邮件至 dbqq@phei.com.cn。

本书咨询联系方式：（010）88254507，liufang@phei.com.cn。

正确的坐姿和握笔姿势

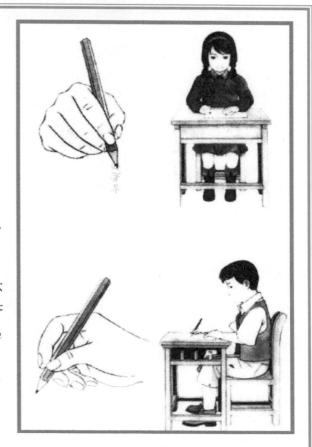

☆ 正确的坐姿：

身体坐在椅子的三分之二处，不要坐满，也不要过于靠前；头正、身正，两肩放平，躯干挺直；胸口与桌子的边缘约一拳之远。

两脚平放在地，与肩同宽；身体向前倾斜，头部微向下垂；左手扶纸、右手执笔。右眼和笔尖基本对齐；两臂放在桌面上（右臂不要悬空）。

书写纸或书本的四边与桌子的边缘保持平行。书本随着身体的位置进行调整，身体不要随意挪动。

☆ 正确的握笔姿势：

食指与拇指呈圆形，握住笔杆，两根手指尽量不要碰到一起，否则会影响控笔力度；食指与拇指"齐头并进"，不能一前一后，笔尖与手指保持一寸远。

中指的第一个关节和指甲之间的部位托住笔。

笔杆落在食指的最后一个关节上，而不是落在虎口上。手心中空，像握鸡蛋，小拇指和手掌自然地放在纸面上。手背和小臂在一个平面上。

良好的心态

☆ 练字不能急于求成。过分追求速成会形成急躁的心态，结果适得其反。

☆ 努力发掘书法本身的乐趣，养成"乐而知之"的良好心态，以促进今后的学习。

☆ 避免进入听写误区（不临范字，一通乱写）和抄书误区（重数量而不重质量）。

临写与校正

☆ 在临写之前要仔细观察范字的结构布局和笔画笔法，这就是古人所说的"读帖"。

☆ 临写的速度要慢，切忌囫囵吞枣、奋笔疾书，否则书写数量再多也无法达到练习的效果。

☆ 写完一个字后，要仔细观察自己的字与范字之间的差距，下次书写时要及时修正，反复临写便会形成记忆。

选笔参考（如右图）

笔尖坚硬的书写工具皆称为"硬笔"。学生可根据学段不同选择铅笔、签字笔、钢笔等书写工具。笔杆应粗细相宜。

初学者可辅助使用握笔器或有矫正握笔姿势功能的"洞洞笔（右1）"；签字笔建议选用"直供墨"或"速干笔"，书写流畅、干净整洁、便于控制（右2）；钢笔建议选用包尖钢笔，阻尼感强，能增加控笔能力（右3）。

不要选用自动铅笔（易折断）、圆珠笔（书写不流畅）、笔头过粗的笔（改变书写笔法）、软头笔（改变书写笔法）练字。

本"选笔参考"主要针对中低龄学习者的楷书练习，其他学段和字体练习的用笔可根据书写习惯自行调整。

目 录

本书练字方法简介

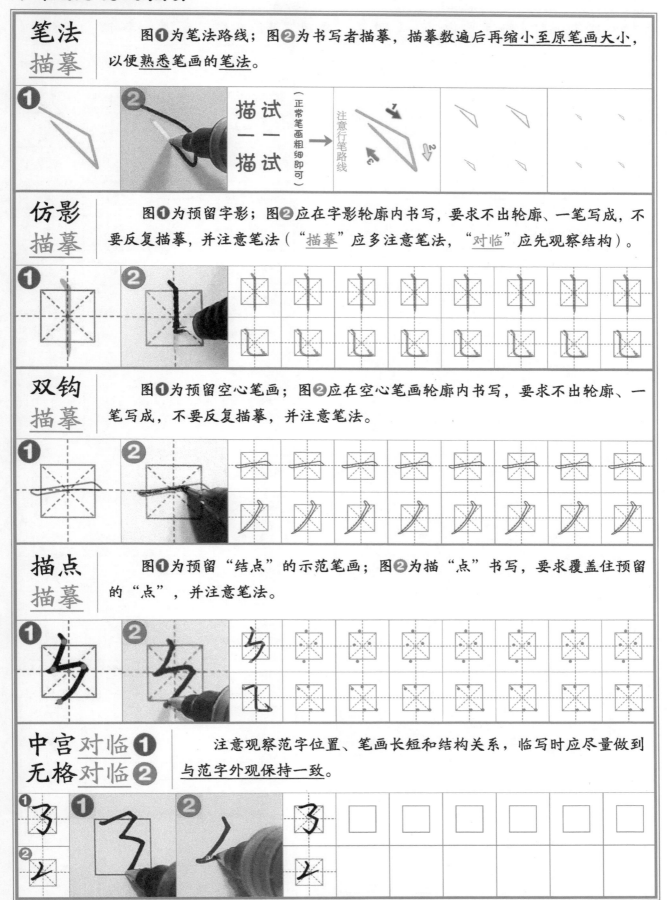

笔法 描摹　图❶为笔法路线；图❷为书写者描摹，描摹数遍后再缩小至原笔画大小，以便熟悉笔画的笔法。

仿影 描摹　图❶为预留字影；图❷应在字影轮廓内书写，要求不出轮廓、一笔写成，不要反复描摹，并注意笔法（"描摹"应多注意笔法，"对临"应先观察结构）。

双钩 描摹　图❶为预留空心笔画；图❷应在空心笔画轮廓内书写，要求不出轮廓、一笔写成，不要反复描摹，并注意笔法。

描点 描摹　图❶为预留"结点"的示范笔画；图❷为描"点"书写，要求覆盖住预留的"点"，并注意笔法。

中宫 对临❶　无格 对临❷　注意观察范字位置、笔画长短和结构关系，临写时应尽量做到与范字外观保持一致。

汉字笔画

(为方便识别，本书以笔画名称的末字为索引，将笔画分为九大类：横、竖、撇、捺、点、折、转、钩、提)

类别	笔画名称	备注	笔画	例字	类别	笔画名称	备注	笔画	例字
横	横	—	一	二	折	横折折③	—	㇅	凹
	短横	—	一	三		横折折折④	—		凸
竖	短竖	左斜	ノ	工		竖折折⑤	—		鼎
	短竖	右斜	丶	口	转	竖弯	—		四
	悬针竖	—	丨	十		横折弯	—		朵
	垂露竖	—	丨	个	钩	竖钩	—	亅	才
撇	短撇	偏竖	ノ	牛		横折钩	折短	フ	卫
	短撇	略平	一	千		横折钩	折长1		习
	撇	—	ノ	人		横折钩⑥	折长2		印
	竖撇	—	ノ	厂		斜钩	—		戈
	横撇	—	フ	又		竖弯钩	—		儿
	横折折撇	—	㇌	及		弯钩	—		了
	竖折撇	—	㇄	专		横折弯钩	斜	乙	九
捺	捺	—	乀	八		横折弯钩	直		几
	平捺	—	乀	之		横钩	—		它
点	点	右斜	丶	义		横斜钩	—		风
	点	左斜	丶	少		卧钩	—		心
	点①	竖向	丶	火		竖折折钩	—		马
	点②	宝盖左侧	丶	宏		横折折折钩	—		乃
	长点	—	丶	不		横撇弯钩	在左		队
	撇点	—	㇃	女		横撇弯钩	在右		邦
折	横折	折短	フ	己	提	提	—		虫
	横折	折长	フ	日		撇提	—		么
	竖折	—	㇗	山		竖提	—		以
	撇折	—	ㄥ	车		横折提	—		计

①：可认读为"左点"。
②：不常用笔法，如"宝盖左点"等。

-2-

③④⑤：极少应用于汉字，如"凹""凸""鼎"等。
⑥：不常见的结构规则，如"硬耳刀"折长内收（常见的长折应竖直）。

笔画讲解及练习

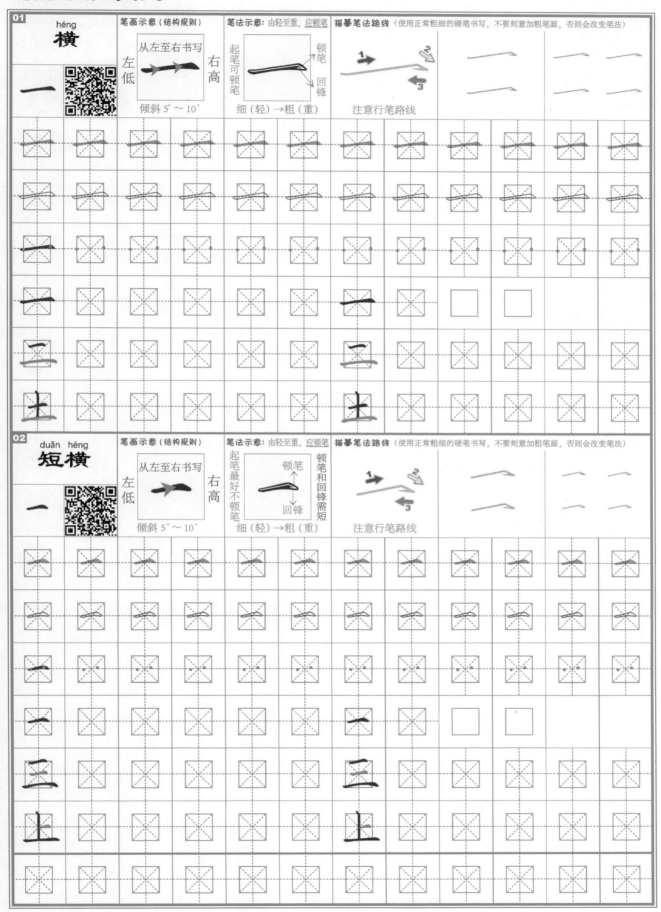

01 横 héng

笔画示意（结构规则）
从左至右书写
左低 右高
倾斜 5°～10°

笔法示意：由轻至重，应顿笔
起笔可顿笔
顿笔
回锋
细（轻）→粗（重）

描摹笔法路线（使用正常粗细的硬笔书写，不要刻意加粗笔画，否则会改变笔法）
注意行笔路线

02 短横 duǎn héng

笔画示意（结构规则）
从左至右书写
左低 右高
倾斜 5°～10°

笔法示意：由轻至重，应顿笔
起笔最好不顿笔
顿笔
回锋
顿笔和回锋需短
细（轻）→粗（重）

描摹笔法路线（使用正常粗细的硬笔书写，不要刻意加粗笔画，否则会改变笔法）
注意行笔路线

笔画讲解及练习

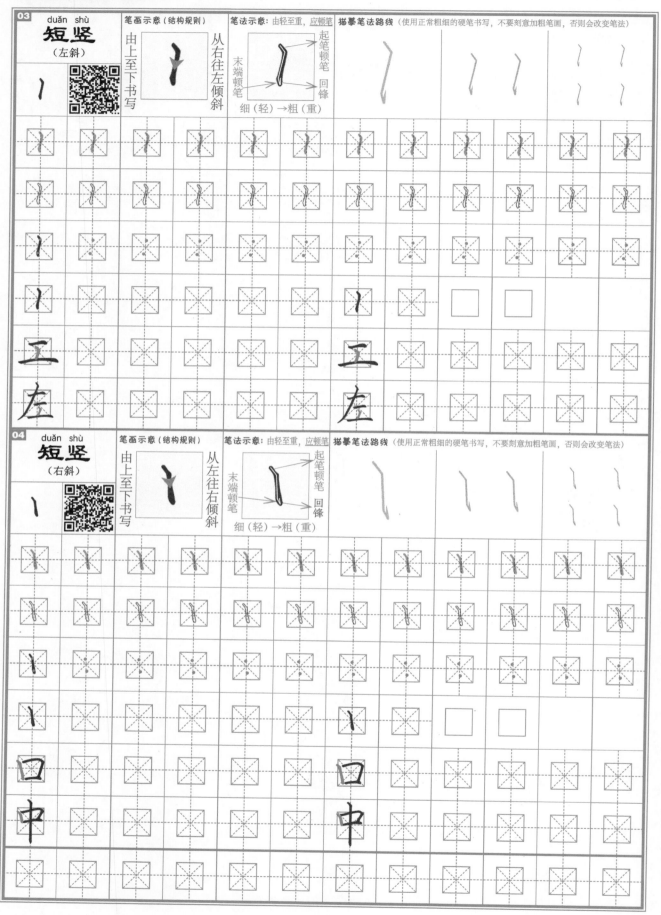

03 duǎn shù
短竖
（左斜）

笔画示意（结构规则）
从右往左倾斜
由上至下书写

笔法示意： 由轻至重，应顿笔
起笔顿笔
末端顿笔
回锋
细（轻）→粗（重）

描摹笔法路线（使用正常粗细的硬笔书写，不要刻意加粗笔画，否则会改变笔法）

工
左

04 duǎn shù
短竖
（右斜）

笔画示意（结构规则）
从左往右倾斜
由上至下书写

笔法示意： 由轻至重，应顿笔
起笔顿笔
末端顿笔
回锋
细（轻）→粗（重）

描摹笔法路线（使用正常粗细的硬笔书写，不要刻意加粗笔画，否则会改变笔法）

口
中

笔画讲解及练习

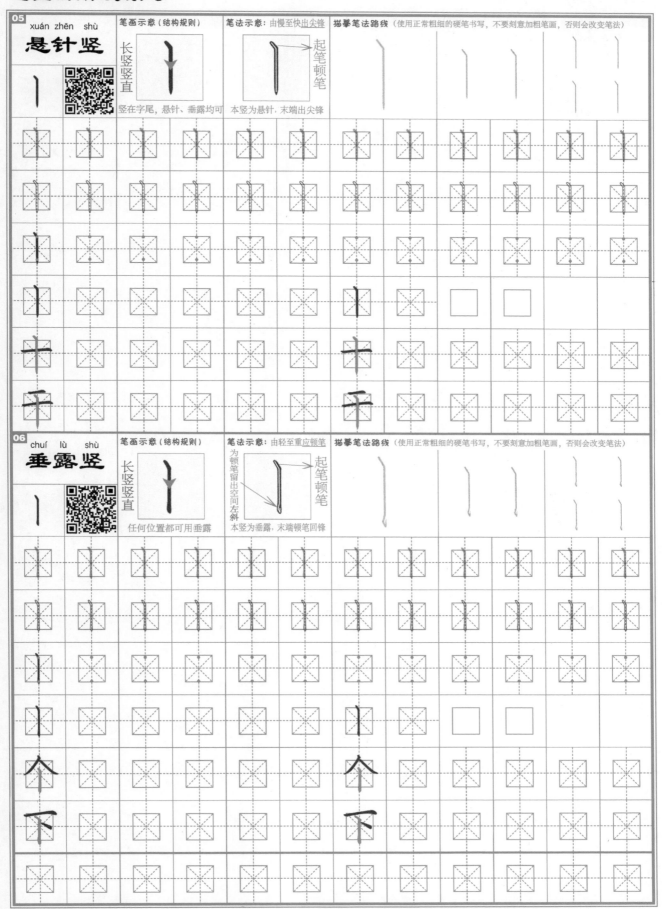

05 xuán zhēn shù
悬针竖

长竖 竖直

笔画示意（结构规则）

竖在字尾，悬针、垂露均可

笔法示意：由慢至快出尖锋

起笔顿笔

本竖为悬针，末端出尖锋

描摹笔法路线（使用正常粗细的硬笔书写，不要刻意加粗笔画，否则会改变笔法）

06 chuí lù shù
垂露竖

长竖 竖直

笔画示意（结构规则）

任何位置都可用垂露

笔法示意：由轻至重应顿笔

起笔顿笔

为顿笔留出空间左斜

本竖为垂露，末端顿笔回锋

描摹笔法路线（使用正常粗细的硬笔书写，不要刻意加粗笔画，否则会改变笔法）

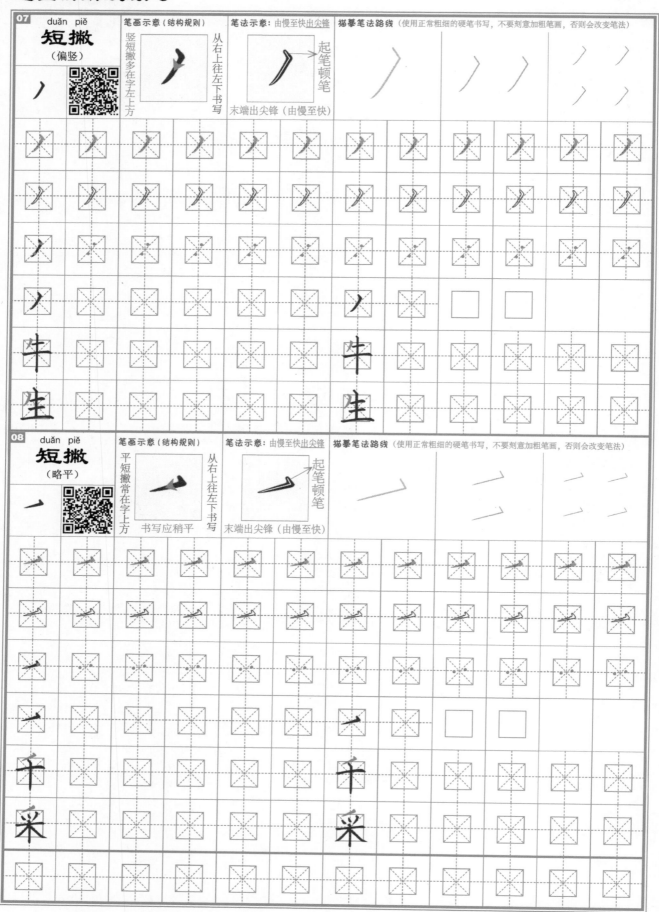

07 duǎn piě
短撇
（偏竖）

笔画示意（结构规则）
竖短撇多在字左上方

从右上往左下书写

笔法示意：由慢至快出尖锋
起笔顿笔
末端出尖锋（由慢至快）

描摹笔法路线（使用正常粗细的硬笔书写，不要刻意加粗笔画，否则会改变笔法）

牛
生

08 duǎn piě
短撇
（略平）

笔画示意（结构规则）
平短撇常在字上方

从右上往左下书写

书写应稍平

笔法示意：由慢至快出尖锋
起笔顿笔
末端出尖锋（由慢至快）

描摹笔法路线（使用正常粗细的硬笔书写，不要刻意加粗笔画，否则会改变笔法）

千
采

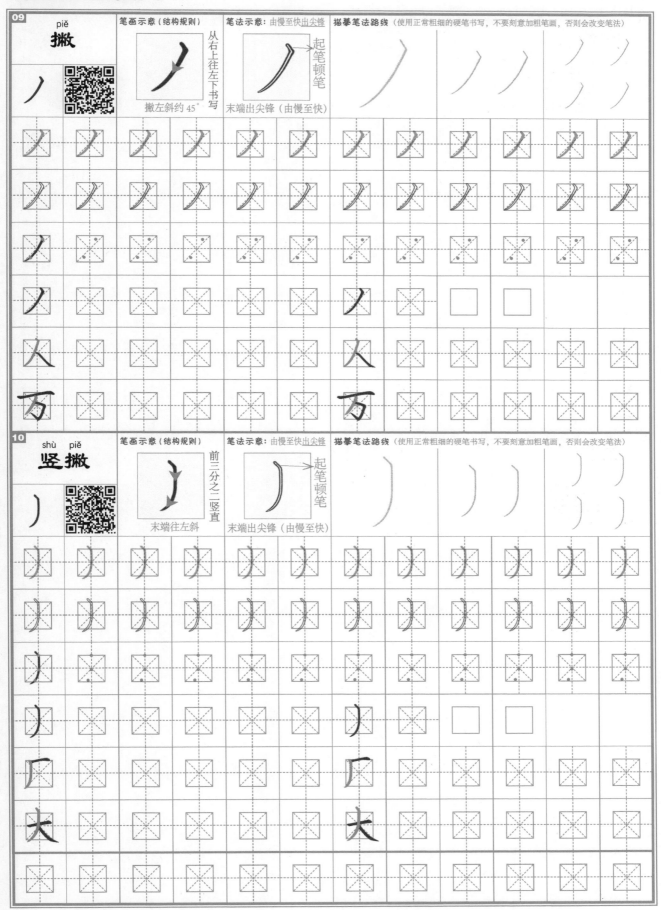

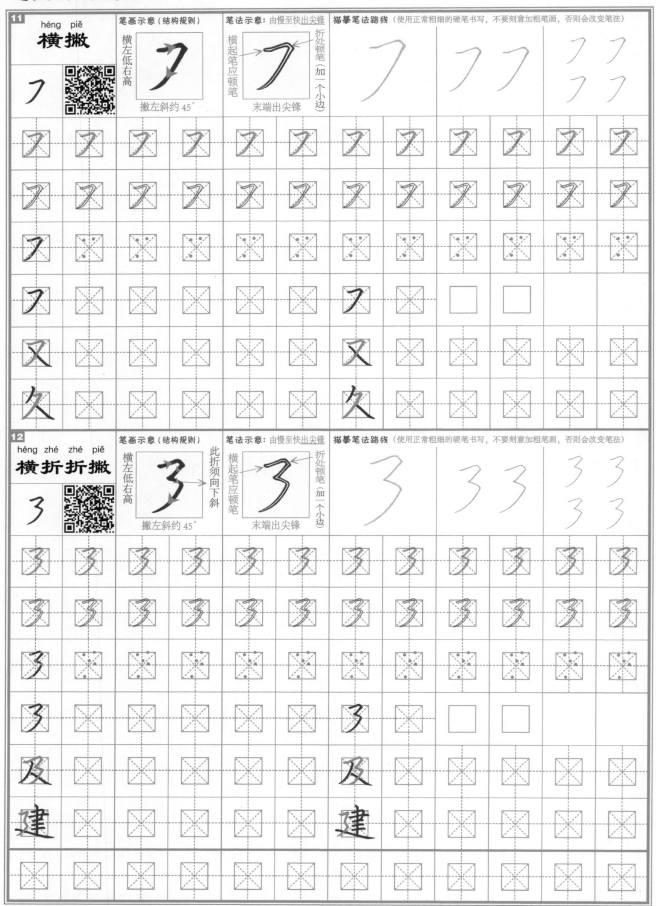

11	héng piě
横撇	笔画示意（结构规则）横左低右高 撇左斜约45°	笔法示意：由慢至快出尖锋 横起笔应顿笔 折处顿笔（加一个小边）末端出尖锋	描摹笔法路线（使用正常粗细的硬笔书写，不要刻意加粗笔画，否则会改变笔法）

12	héng zhé zhé piě
横折折撇	笔画示意（结构规则）横左低右高 撇左斜约45°	笔法示意：由慢至快出尖锋 此折须向下斜 横起笔应顿笔 折处顿笔（加一个小边）末端出尖锋	描摹笔法路线（使用正常粗细的硬笔书写，不要刻意加粗笔画，否则会改变笔法）

笔画讲解及练习

13 shù zhé piě 竖折撇 乡

笔画示意（结构规则） 折左低右高 撇左斜约45°

笔法示意： 由慢至快出尖锋 折处顿笔（加一个小边）竖起笔应顿笔 末端出尖锋

描摹笔法路线（使用正常粗细的硬笔书写，不要刻意加粗笔画，否则会改变笔法）

专
转

14 nà 捺 乀

笔画示意（结构规则） 从左上至右下书写 捺右斜约45° 捺脚应稍平

笔法示意： 由慢至快出尖锋 捺左侧有笔画时不顿笔 捺左侧无笔画时应顿笔 末端出尖锋

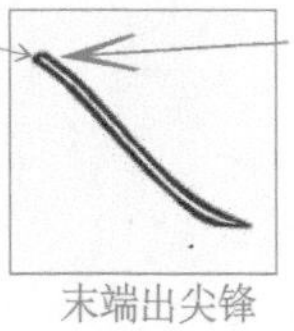

描摹笔法路线（使用正常粗细的硬笔书写，不要刻意加粗笔画，否则会改变笔法）

八
入

笔画讲解及练习

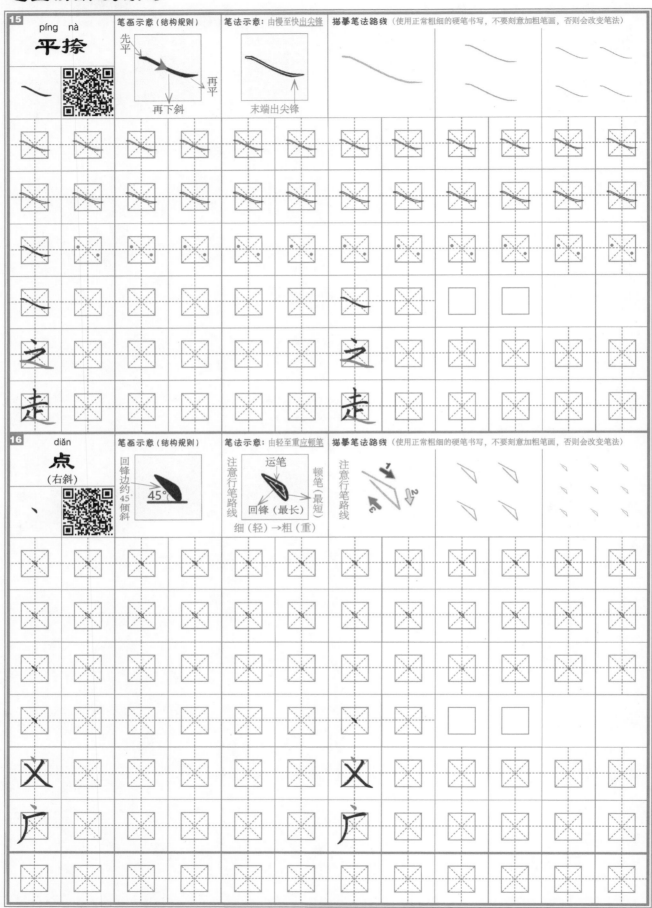

15 píng nà
平捺
丶

笔画示意（结构规则）
先平
再平
再下斜

笔法示意： 由慢至快出尖锋
末端出尖锋

描摹笔法路线（使用正常粗细的硬笔书写，不要刻意加粗笔画，否则会改变笔法）

之
走

之
走

16 diǎn
点
（右斜）
丶

笔画示意（结构规则）
回锋边约45°倾斜
45°

笔法示意： 由轻至重应顿笔
注意行笔笔路线
运笔
顿笔（最短）
回锋（最长）
细（轻）→粗（重）

描摹笔法路线（使用正常粗细的硬笔书写，不要刻意加粗笔画，否则会改变笔法）
注意行笔路线

乂
广

乂
广

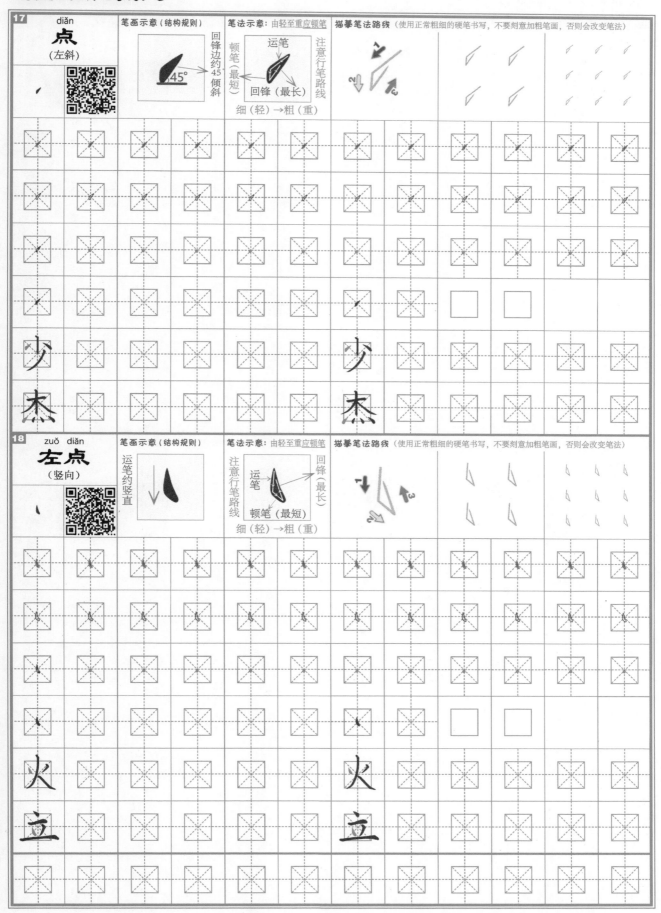

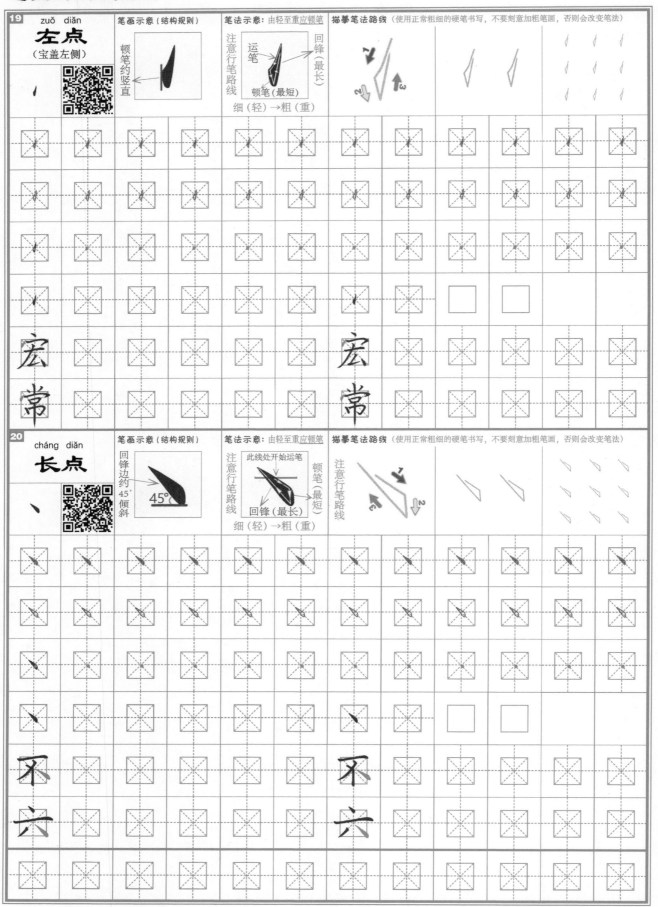

笔画讲解及练习

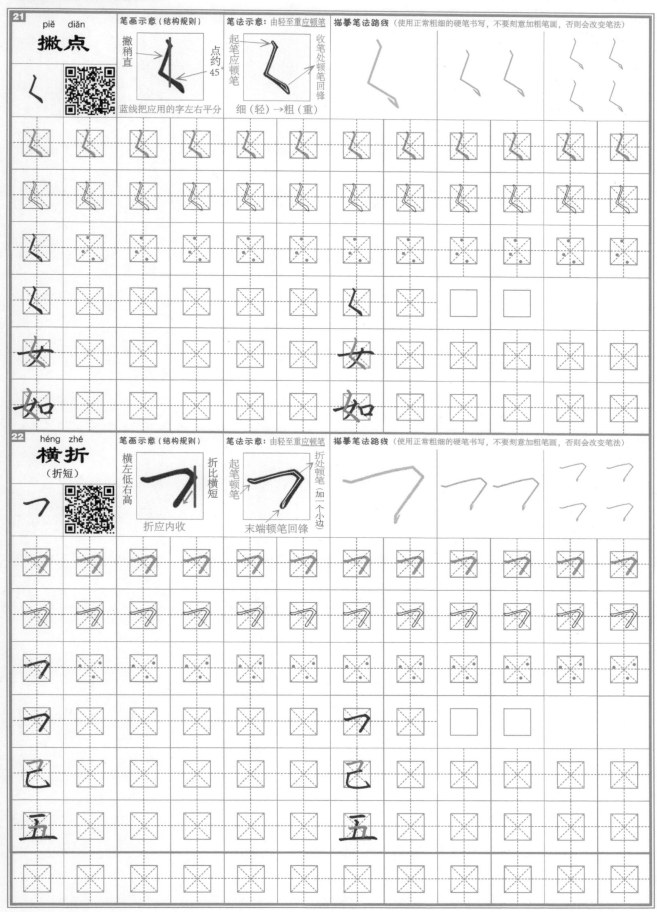

笔画讲解及练习

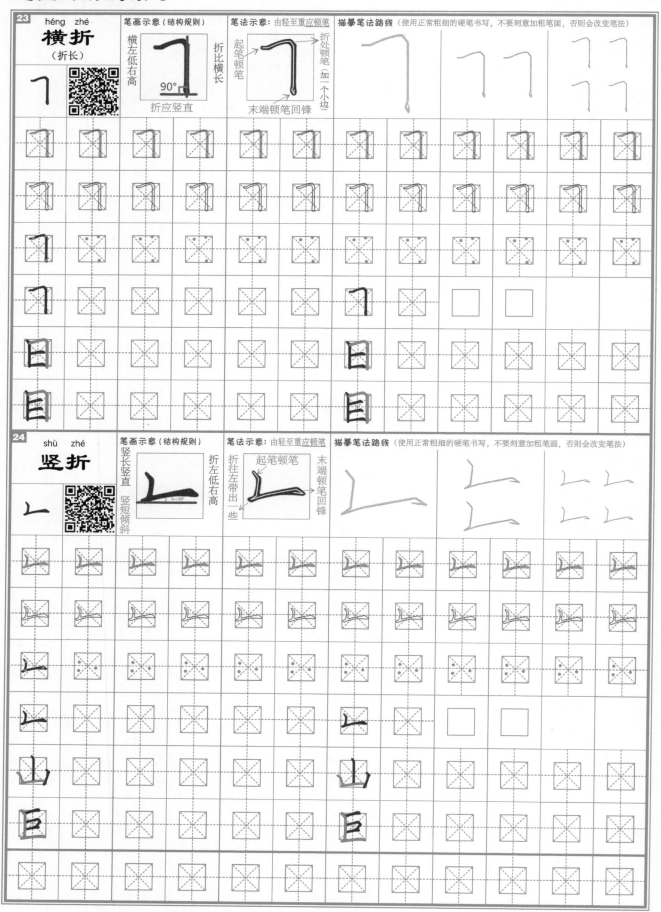

23 héng zhé 横折 (折长)

笔画示意（结构规则）
横左低右高
90°
折应竖直

笔法示意：由轻至重应顿笔
折比横长
起笔顿笔
折处顿笔
折处顿笔（加一个小边）
末端顿笔回锋

描摹笔法路线（使用正常粗细的硬笔书写，不要刻意加粗笔画，否则会改变笔法）

24 shù zhé 竖折

笔画示意（结构规则）
竖长竖直
折左低右高
竖短倾斜
5～10°

笔法示意：由轻至重应顿笔
起笔顿笔
折往左带出一些
末端顿笔回锋

描摹笔法路线（使用正常粗细的硬笔书写，不要刻意加粗笔画，否则会改变笔法）

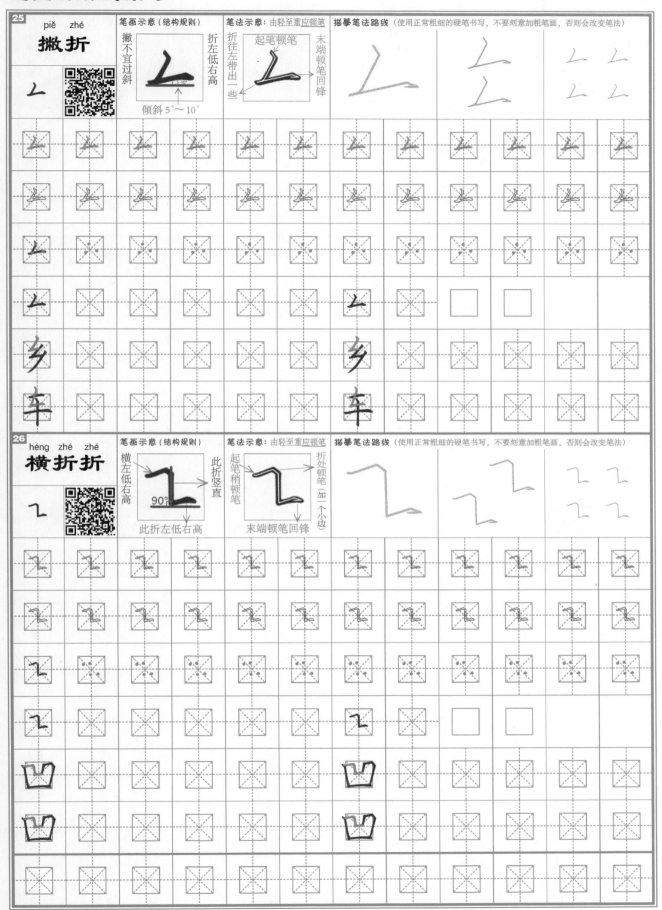

笔画讲解及练习

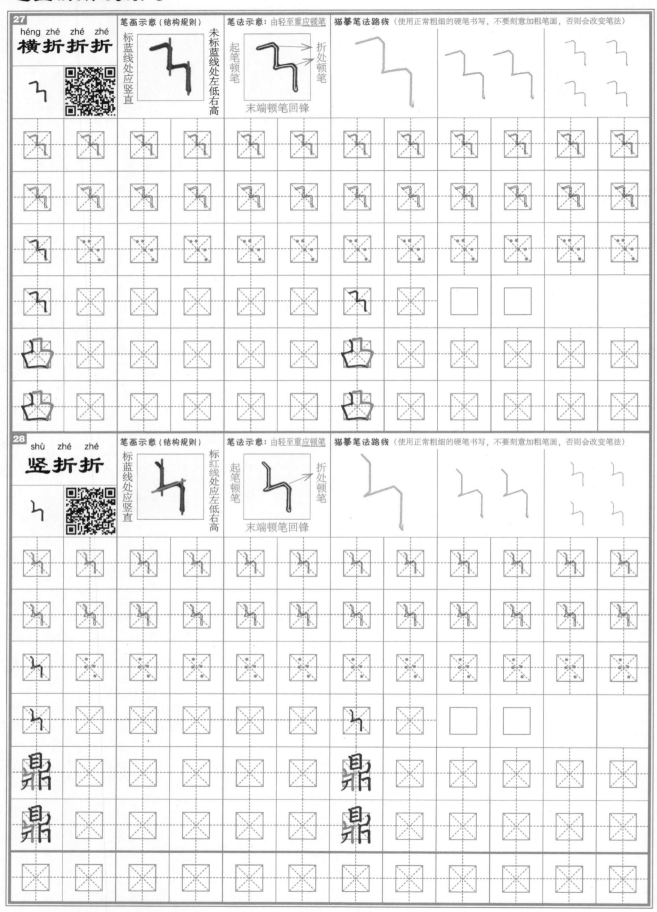

笔画讲解及练习

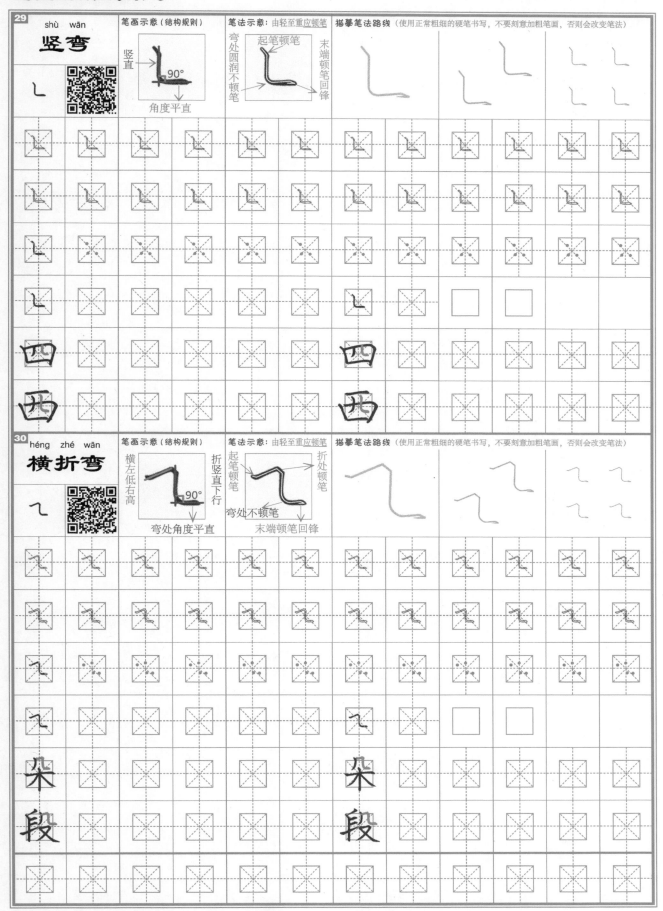

29 shù wān
竖弯

笔画示意（结构规则）
竖直 90° 角度平直

笔法示意：由轻至重应顿笔
起笔顿笔 末端顿笔回锋 弯处圆润不顿笔

描摹笔法路线（使用正常粗细的硬笔书写，不要刻意加粗笔画，否则会改变笔法）

四
西

30 héng zhé wān
横折弯

笔画示意（结构规则）
横左低右高 折竖直下行 90° 弯处角度平直

笔法示意：由轻至重应顿笔
折笔顿笔 折处顿笔 弯处不顿笔 末端顿笔回锋

描摹笔法路线（使用正常粗细的硬笔书写，不要刻意加粗笔画，否则会改变笔法）

朵
段

笔画讲解及练习

31 shù gōu
竖钩
丨

笔画示意（结构规则）
竖应竖直
钩约45°

笔法示意：由慢至快出尖锋
起笔顿笔
末端加速出尖锋

描摹笔法路线（使用正常粗细的硬笔书写，不要刻意加粗笔画，否则会改变笔法）

才
寸

32 héng zhé gōu
横折钩
（折短）
勹

笔画示意（结构规则）
横左低右高
折比横短
折应内收

笔法示意：由慢至快出尖锋
起笔顿笔
折处顿笔
末端加速出尖锋

描摹笔法路线（使用正常粗细的硬笔书写，不要刻意加粗笔画，否则会改变笔法）

卫
力

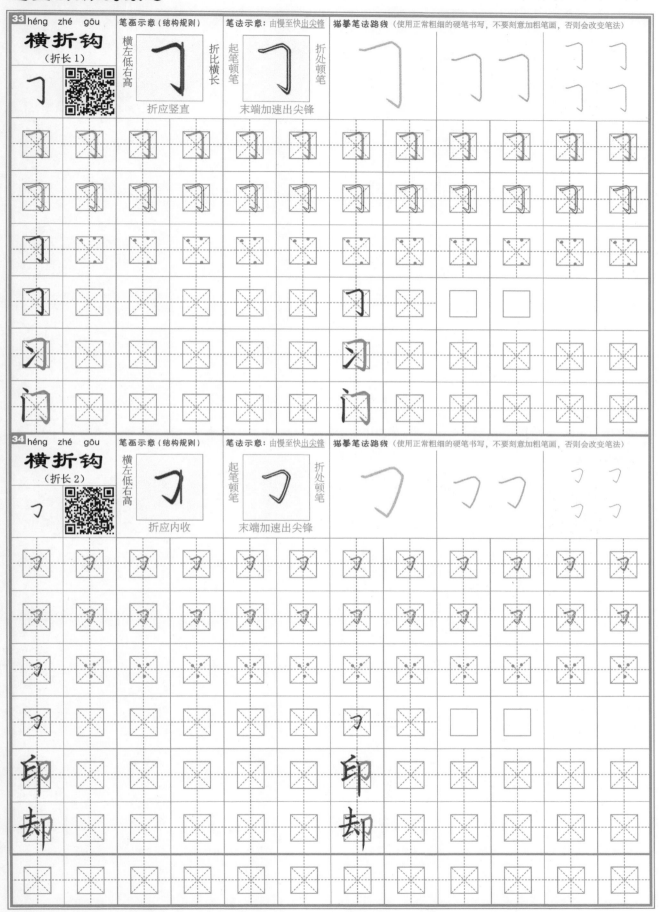

33 héng zhé gōu
横折钩
（折长1）

笔画示意（结构规则）
横左低右高
折应竖直

笔法示意：由慢至快出尖锋
起笔顿笔　折处顿笔
末端加速出尖锋

描摹笔法路线（使用正常粗细的硬笔书写，不要刻意加粗笔画，否则会改变笔法）

习
门

34 héng zhé gōu
横折钩
（折长2）

笔画示意（结构规则）
横左低右高
折应内收

笔法示意：由慢至快出尖锋
起笔顿笔　折处顿笔
末端加速出尖锋

描摹笔法路线（使用正常粗细的硬笔书写，不要刻意加粗笔画，否则会改变笔法）

印
却

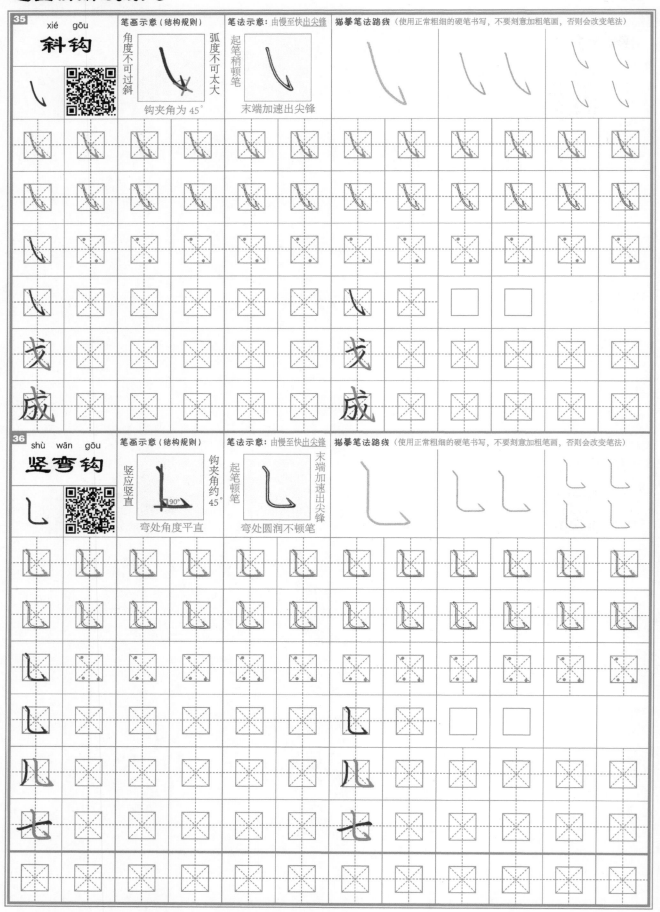

35 xié gōu

斜钩

笔画示意（结构规则）

角度不可过斜

钩夹角为45°

弧度不可太大

笔法示意：由慢至快出尖锋

起笔稍顿笔

末端加速出尖锋

描摹笔法路线（使用正常粗细的硬笔书写，不要刻意加粗笔画，否则会改变笔法）

戈
成

36 shù wān gōu

竖弯钩

笔画示意（结构规则）

竖应竖直

钩夹角约45°

弯处角度平直

笔法示意：由慢至快出尖锋

起笔顿笔

末端加速出尖锋

弯处圆润不顿笔

描摹笔法路线（使用正常粗细的硬笔书写，不要刻意加粗笔画，否则会改变笔法）

几
七

笔画讲解及练习

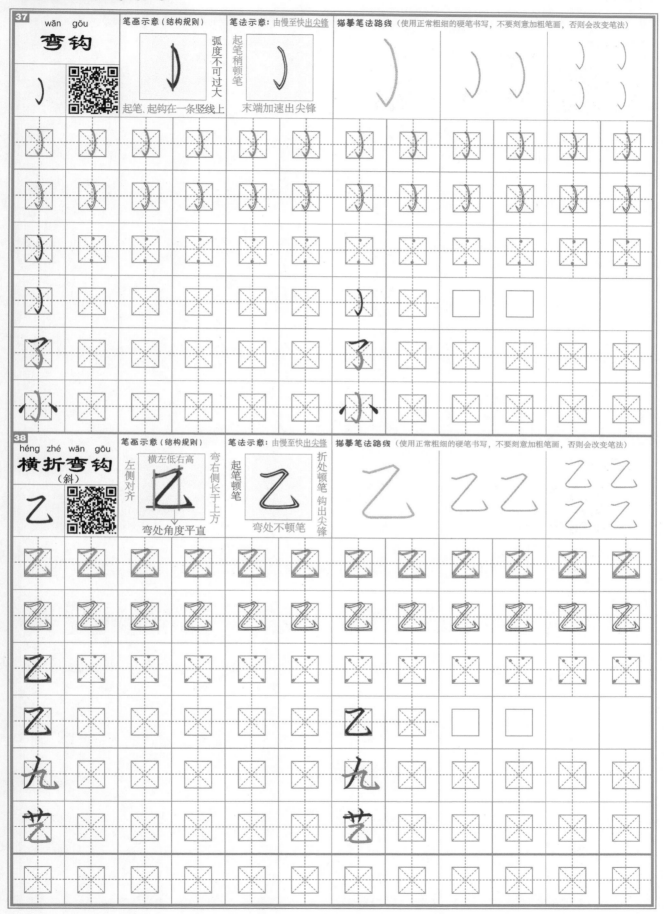

37

wān gōu

弯钩

丿

笔画示意（结构规则）

弧度不可过大

起笔、起钩在一条竖线上

笔法示意：由慢至快出尖锋

起笔稍顿笔

末端加速出尖锋

描摹笔法路线（使用正常粗细的硬笔书写，不要刻意加粗笔画，否则会改变笔法）

38

héng zhé wān gōu

横折弯钩

（斜）

乙

笔画示意（结构规则）

横左低右高

左侧对齐

弯右侧长于上方

弯处角度平直

笔法示意：由慢至快出尖锋

折处顿笔

起笔顿笔

弯处不顿笔

钩出尖锋

描摹笔法路线（使用正常粗细的硬笔书写，不要刻意加粗笔画，否则会改变笔法）

了

小

乙

九

艺

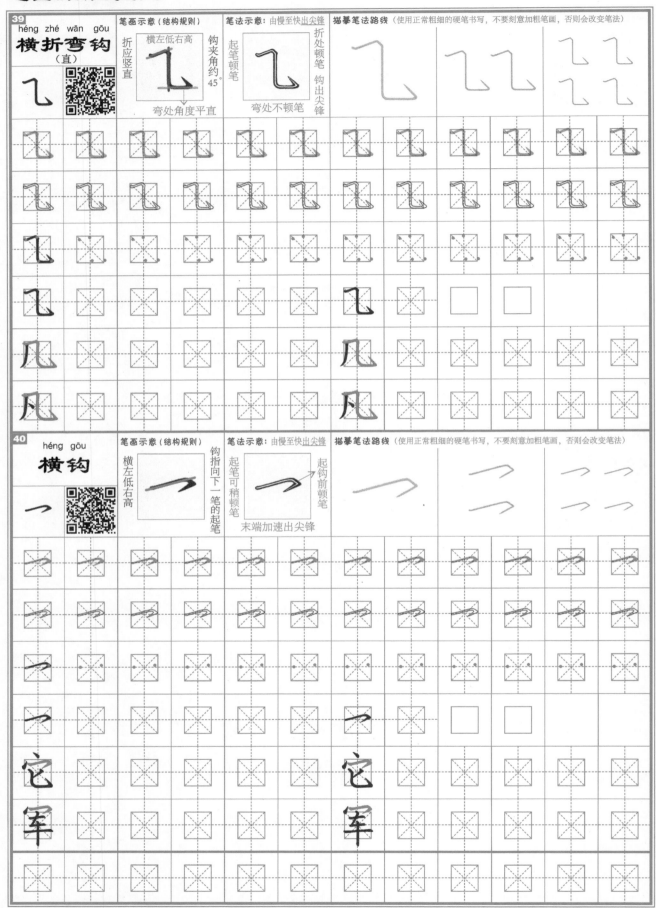

39 héng zhé wān gōu
横折弯钩（直）

笔画示意（结构规则）
折应竖直
横左低右高
弯处角度平直

钩夹角约45°

笔法示意：由慢至快出尖锋
折处顿笔
起笔顿笔
钩出尖锋
弯处不顿笔

描摹笔法路线（使用正常粗细的硬笔书写，不要刻意加粗笔画，否则会改变笔法）

40 héng gōu
横钩

笔画示意（结构规则）
横左低右高
钩指向下一笔的起笔

笔法示意：由慢至快出尖锋
起笔可稍顿笔
起钩前顿笔
末端加速出尖锋

描摹笔法路线（使用正常粗细的硬笔书写，不要刻意加粗笔画，否则会改变笔法）

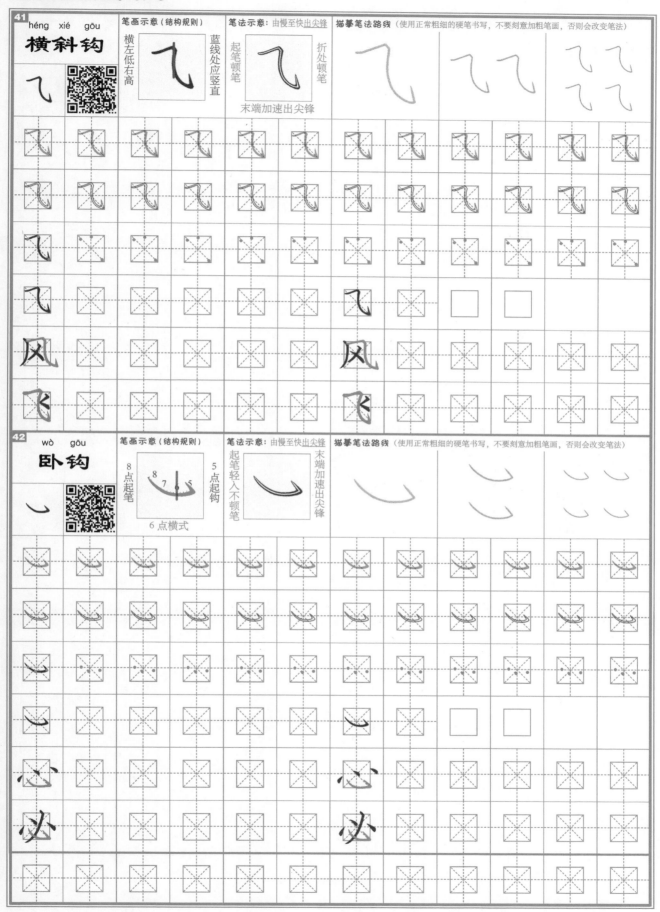

41 héng xié gōu
横斜钩

笔画示意（结构规则）
横左低右高
蓝线处应竖直

笔法示意：由慢至快出尖锋
起笔顿笔
折处顿笔
末端加速出尖锋

描摹笔法路线（使用正常粗细的硬笔书写，不要刻意加粗笔画，否则会改变笔法）

风
飞

42 wò gōu
卧钩

笔画示意（结构规则）
8点起笔
7
5点起钩
6点横式

笔法示意：由慢至快出尖锋
起笔轻入不顿笔
末端加速出尖锋

描摹笔法路线（使用正常粗细的硬笔书写，不要刻意加粗笔画，否则会改变笔法）

心
必

43 shù zhé zhé gōu 竖折折钩

笔画示意（结构规则）：左低右高内收

笔法示意：由慢至快出尖锋

起笔顿笔 折往左带 折处顿笔 钩出尖锋

描摹笔法路线（使用正常粗细的硬笔书写，不要刻意加粗笔画，否则会改变笔法）

马
与

44 héng zhé zhé zhé gōu 横折折折钩

笔画示意（结构规则）：起笔横左低右高 红线标记处应向下行

笔法示意：由慢至快出尖锋

起笔顿笔 末端出尖锋 所有折处均需顿笔

描摹笔法路线（使用正常粗细的硬笔书写，不要刻意加粗笔画，否则会改变笔法）

乃
仍

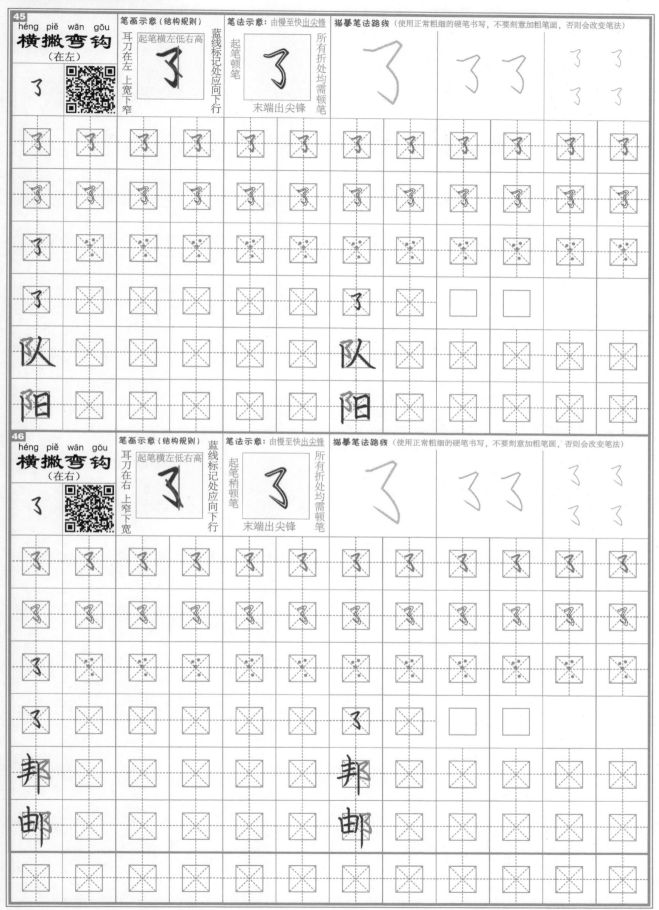

45	笔画示意（结构规则）	笔法示意：由慢至快出尖锋	描摹笔法路线（使用正常粗细的硬笔书写，不要刻意加粗笔画，否则会改变笔法）
héng piě wān gōu 横撇弯钩 （在左）	耳刀在左 上宽下窄 起笔横左低右高 蓝线标记处应向下行	起笔顿笔 末端出尖锋 所有折处均需顿笔	

46	笔画示意（结构规则）	笔法示意：由慢至快出尖锋	描摹笔法路线（使用正常粗细的硬笔书写，不要刻意加粗笔画，否则会改变笔法）
héng piě wān gōu 横撇弯钩 （在右）	耳刀在右 上窄下宽 起笔横左低右高 蓝线标记处应向下行	起笔稍顿笔 末端出尖锋 所有折处均需顿笔	

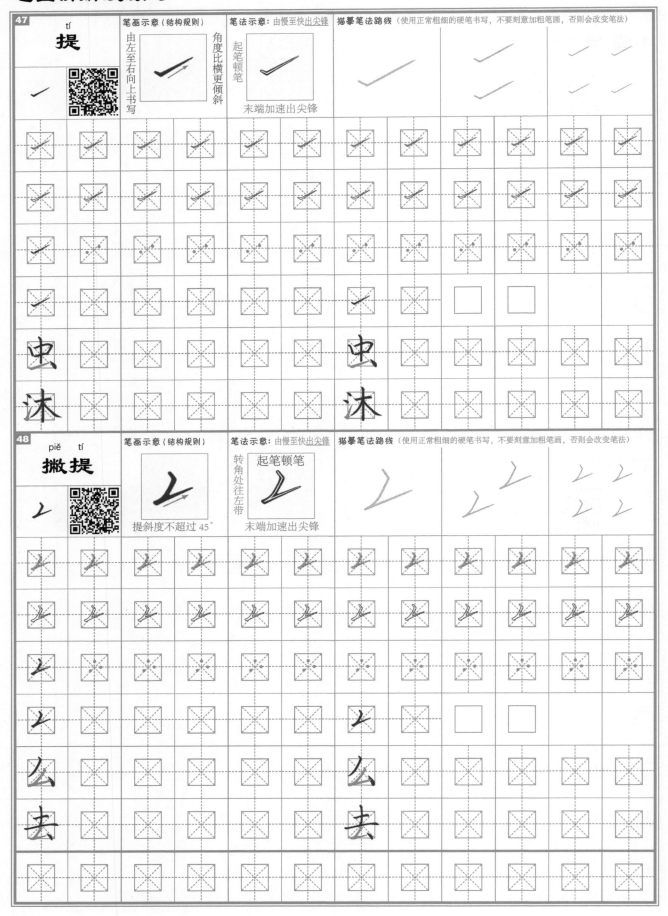

| 47 | tí 提 | 笔画示意（结构规则） | 笔法示意：由慢至快出尖锋 | 描摹笔法路线（使用正常粗细的硬笔书写，不要刻意加粗笔画，否则会改变笔法） |

由左至右向上书写
角度比横更倾斜

起笔顿笔
末端加速出尖锋

| 48 | piě tí 撇提 | 笔画示意（结构规则） | 笔法示意：由慢至快出尖锋 | 描摹笔法路线（使用正常粗细的硬笔书写，不要刻意加粗笔画，否则会改变笔法） |

提斜度不超过 45°

转角处往左带
起笔顿笔
末端加速出尖锋

笔画讲解及练习

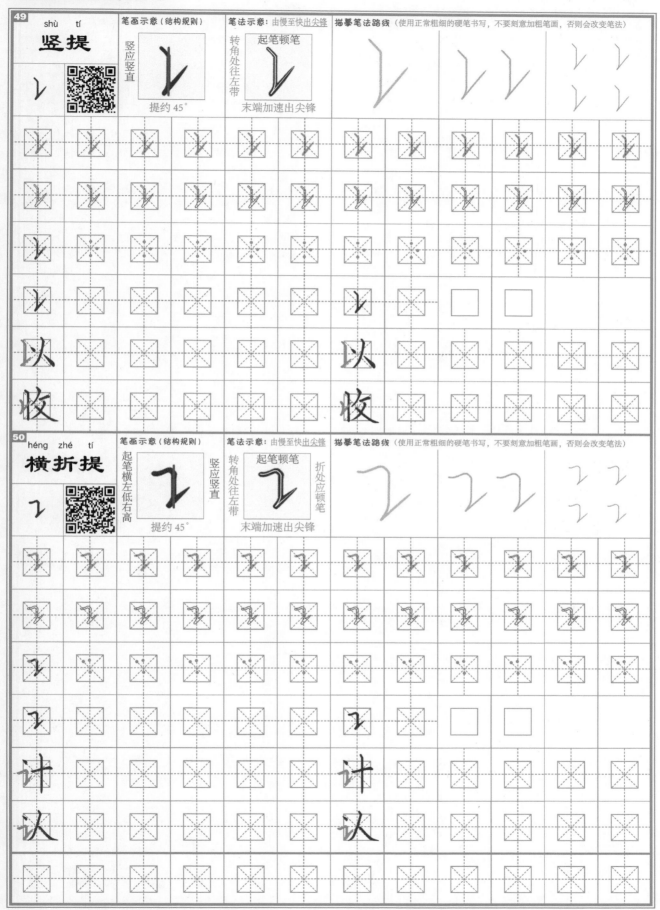

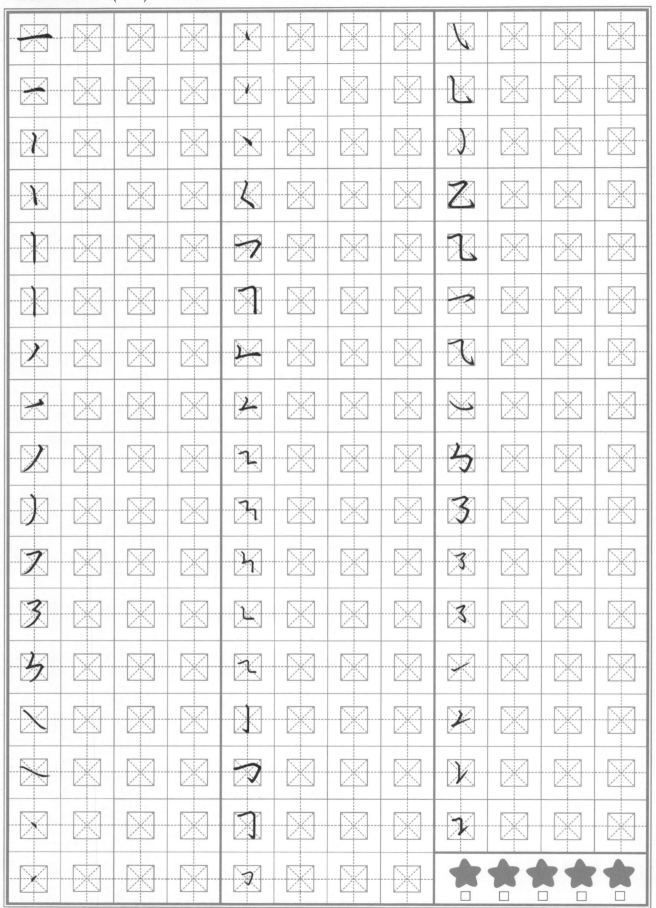

笔画示意	写出笔画名称	应用汉字	笔画示意	写出笔画名称	应用汉字	笔画示意	写出笔画名称	应用汉字
一			、			ㄴ		
一			丶			丿		
㇀			𡿨			乙		
丶			㇇			㇈		
丨			了			㇅		
丨			ㄴ			㇈		
丿			𡿨			乀		
㇀			乙			㇎		
丿			㇄			㇆		
丿			乚			乙		
𠃌			乚			乛		
𠃋			乙			乀		
𠃌			𡿨			乀		
乀			㇇			乀		
乀			㇆			乙		
乀			乀			♥ ♥ ♥ ♥ ♥ □ □ □ □ □		

笔画测试（三）字形及应用 (学习笔画的要求：了解笔画名称和外形，明确应用例字，书写美观。)

笔画名称	写出笔画	应用汉字	笔画名称	写出笔画	应用汉字	笔画名称	写出笔画	应用汉字
横			点（左斜）			竖弯钩		
短横			长点			弯钩		
短竖（左斜）			撇点			横折弯钩（斜）		
短竖（右斜）			横折（折短）			横折弯钩（直）		
悬针竖			横折（折长）			横钩		
垂露竖			竖折			横斜钩		
短撇（偏竖）			撇折			卧钩		
短撇（略平）			横折折			竖折折钩		
撇			横折折折			横折折折钩		
竖撇			竖折折			横撇弯钩（在左）		
横撇			竖弯			横撇弯钩（在右）		
横折折撇			横折弯			提		
竖折撇			竖钩			撇提		
捺			横折钩（折短）			竖提		
平捺			横折钩（折长）			横折提		
点（右斜）			斜钩			优 优 优 优 优		

-30-

练字的基本常识

1、初学练字，先要做什么，练的是什么？

初学练字，同学们应先端正心态、克服急躁心理，要建立"我想学"的主观意识；练的是观察能力和模仿能力，必须认真观察、反复临摹，先将结构写像，再雕琢笔法。

2、儿童几岁可以开始练字？

练字的起始年龄因个人发育程度和心态状况而异（个别浮躁的成年人也练不好字），大多在四至七岁之间。参考右侧小测试（或本书 50 页），让儿童按照其长短和构图在空白处模仿（不要用尺子，写不直没关系，重点是大小和长短）。如与示范图形相差甚远，则需家长和老师多加引导；如尝试多次仍旧相差甚远，则可能是手脑协调能力尚未发育成熟，家长可先观察一段时间，不必过多苛责。

3、写字慢是什么原因？

(1) 态度认真但功力不足。解决办法：多写多练，自然熟能生巧。
(2) 频繁走神、开小差、做小动作。解决办法：端正心态，提高专注力。

4、一笔一画地练字，写得太慢怎么办？会不会影响做作业和考试时的写字速度？如何做到学以致用？

练字是由慢至快的过程（如学走路），初学者坚持慢慢练习，少则几个月，多则一两年即能熟练写字（能学以致用的话，效果又快又好）。切莫急躁，越想速成，越不能成，须知提笔就是练字时。

5、年龄稍大的学生可不可以从书法的中、高阶段学起？

练字三大目标：准确、迅速、美观。按照由浅至深的练字步骤，应为：笔画（笔法）→结构（字法）→章法，同时配合文字学常识。文字学和书写是两大板块，同学们可根据自己的文字学功底及书写水平来学习书法。从书写角度来讲，不论年龄高低，只要没练过书法，就都应像盖楼一样从基础练起，不可因年龄稍大而减少步骤，空中楼阁是为徒劳。

6、成年人或大孩子直接练连笔字（行书）好不好？

正书是行书的基础，一笔一画的字都没写好，怎么可能写好连笔字呢？有的成年人写字潦草，就是因为小时候没有一笔一画地认真练习。快描快写，最多可得其形但不得其根。

7、为什么练很久都没有效果？

有的同学练字像烧开水，前期慢慢积累，后期顿悟得法，这类同学需加强心态的稳定，做到锲而不舍；有的同学练字像走路，每天都有成效，这类同学需实施多种临摹方法，穿插评比、竞赛、展示等活动（摒弃乏味＋适当施压），避免进入漫长的高原期（瓶颈期）。

8、为什么家长或老师在旁监督时，孩子练字效果就好，没有监督时，效果就差？

孩子的自觉性和观察、模仿能力都需要培养，所以家长和老师应给予更多的陪伴，在孩子出现问题时及时纠正；如果没有养成好的习惯，等孩子长大以后形成惰性，纠正起来会更加费时、费力。

9、为什么孩子上书法课（练字）时字写得好，平时写作业就"打回原形"了呢？

练字时多为临帖，写作业属于学以致用。正确临帖的次数多了，便能形成肌肉记忆、条件反射，从而做到学以致用。所以平时的练习和巩固非常重要。孩子写作业时，家长在书法技法上可给予适当的提醒，也要从坐姿、握笔、认真程度（注意观察范字、放慢临摹速度）上进行重点监督。只有做到<u>课上与课下都严格要求</u>，<u>才能做到事半功倍</u>，更快地学以致用。

10、学习书法可不可以只学理论知识而不练习，或一味埋头苦练而不学理论知识？

书法属于知识（间接经验）与技能（肌肉记忆）相结合的学科，两者缺一不可。

11、什么是汉字的笔画？

笔画是汉字最基本的组成元素（各种形状的不间断的点和线），书写一个笔画时要连贯，笔尖不离纸，且笔画与笔画之间会有间断。从书写技法和汉字美观的角度来讲，把笔画弄明白、练扎实，对日后的练字会有提纲挈领的作用。

12、如何认读笔画？

本书将笔画分为九大类别：横、竖、撇、捺、点、折、转、钩、提。<u>末端</u>的<u>关节</u>笔画，即为其<u>类别属性</u>。如 ㇆ 末端为"撇"，则将其归为"撇"类，名为"竖折撇"；再如 ㇈ 末端为"钩"，则将其归为"钩"类，名为"横折弯钩"。

通常情况下，一个笔画<u>由几个关节组成</u>，这个笔画的<u>名称就有几个字</u>。如 ㇉ 由四个关节组成，它的名称就有四个字"竖折折钩"；再如 ㇋ 由五个关节组成，它的名称就有五个字"横折折折钩"。

笔画的首关节和末关节均为其实际名称，中间过渡关节大多用"折"字代替，如"横折提"㇗ 首关节为横（原名称），中间的"竖"改为"折"，末端的"提"仍沿用其实际名称；再如"横折钩"㇆ 首关节为横（原名称），中间的"竖"改为"折"，末端的"钩"沿用其实际名称。

13、左手执笔可不可以练字？

问题不大。但老师一般都是右手执笔，需要多关注使用左手的同学的笔法，左手执笔的同学需付出更多的努力，因为老师的示范基本都是反方向的。

14、一个字练了很多遍，后来却不认识这个字了，这是为什么？

这是正常的生理现象。大脑收到过多重复的信息，会开启自我保护机制。遇到这种情况时，可稍微休息一会儿，或换其他临摹方法练习。为避免枯燥，<u>《全方法硬笔楷书教程》</u>系列有多种临摹方法，大家可自主选择，循序渐进地练习。

15、如果一直练都练不好，怎么办？

把字写工整、写规范，相较于其他学科的学习要简单很多。而各学科并不是完全独立存在的，不要总想着知难而退、寻找捷径，应端正态度，把丘陵翻过去才敢去挑战峻岭（简单的都学不好，何谈困难的）。

后面的内容是关于书写专注力、观察能力、模仿能力、书写基本功、书写态度的练习（在家长或老师的监督下，学习者将取得更好的效果），祝同学们早日成功！

书写专注力训练

1. 找到最短的笔画并把它描出来（共一个）。

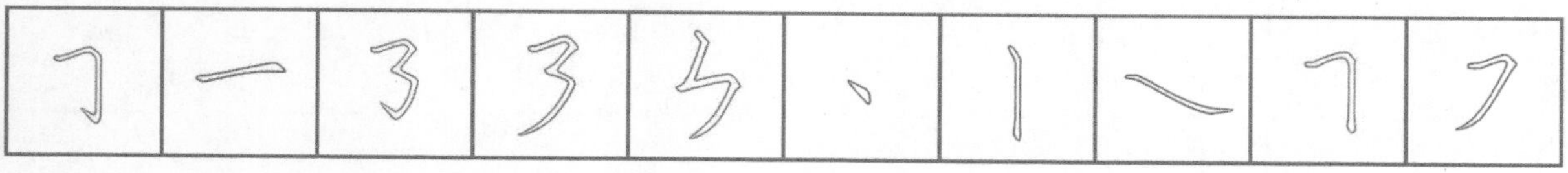

2. 找到最长的笔画并把它描出来（共一个）。

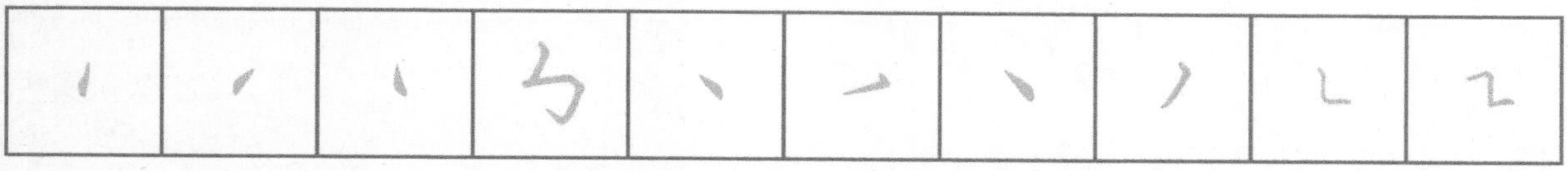

3. 找到最竖直的笔画并把它描出来（共一个）。

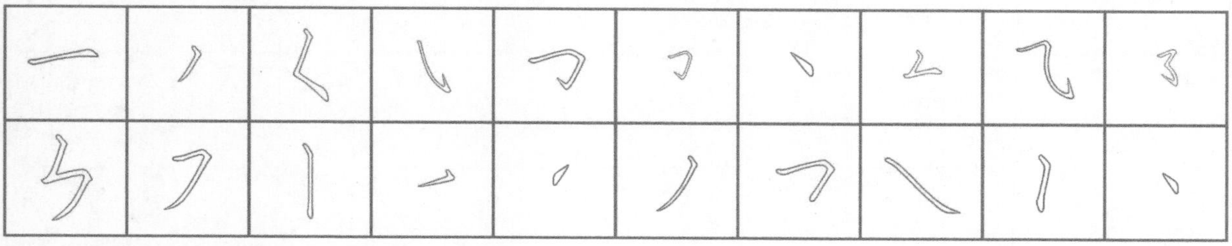

4. 找到最斜的笔画并把它描出来（共一个）。

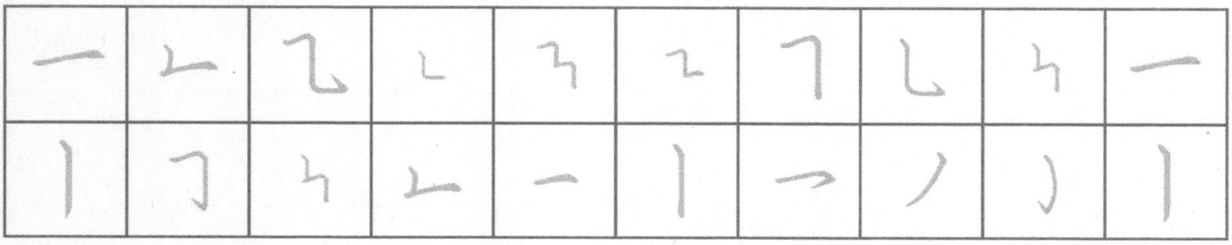

5. 找到横画"一"并把它们描出来（共两个）。

乙	一	丶	乛	乛	丶	3	乃	丨	丶
乚	乚	丿	乛	丶	乀	乙	丶	一	丨

6. 找到竖画"丨"并把它们描出来（共两个）。

乚	一	乛	乛	乚	乡	丶	丿	乀	丨	乛
丿	丨	一	一	3	乃	乛	丿	乚	乛

7. 找到撇画"丿"并把它们描出来（共两个）。

乀	丶	丿	一	丶	乙	乚	乛	一	乚
丨	乛	乛	丿	乙	乛	乀	乡	乛	丿
乛	乙	丶	丶	丶	乀	乃	3	一	乚

8. 找到捺画"乀"并把它们描出来（共两个）。

丿	一	乀	乛	乛	3	丨	丿	丿	丶
丨	乙	丶	丿	一	乛	一	乚	一	乃
乃	乃	乛	乙	乚	乛	一	乚	乀	3

9. 找到"五"字并把它们描出来（共三个）。

七	六	八
四	三	十
二	五	九

三	七	五
六	二	四
一	九	八

三	八	二
一	五	九
六	四	七

10. 找到"六"字并把它们描出来（共三个）。

四	八	五
七	三	九
十	六	二

七	九	五
二	一	三
六	八	四

一	三	六
四	八	九
五	七	二

11. 找到"七"字并把它们描出来（共三个）。

十	八	五
四	七	三
六	九	二

四	三	八
二	五	七
十	八	九

八	一	三
五	四	十
七	九	二

12. 找到下方与示例相同的字，<u>先连线</u>，然后把它们<u>描出来</u>。

学而不思则罔，思而不学则殆。

殆学学不不则则而而思思罔

13. 找到下方与示例相同的字，<u>先连线</u>，然后把它们<u>描出来</u>。

见贤思齐焉，见不贤而内自省也。

省贤焉见内见贤不而思齐也自

14. 找到带有笔画横折提"㇆"的字并把它描出来（共一个）。

学	而	时	习	之	不	亦	说	乎	有
朋	自	远	方	来	不	亦	乐	乎	人
不	知	而	不	愠	不	亦	君	子	乎
温	故	而	知	新	可	以	为	师	矣

15. 找到带有"冫"部的字并把它们描出来（共两个）。

弟	子	规	圣	人	训	首	孝	悌	次
谨	信	泛	爱	众	而	亲	仁	有	余
力	则	学	文	……	冬	则	温	夏	则
清	晨	则	省	昏	则	定	出	必	告

16. 找到带有笔画竖弯钩"乚"的字并把它们描出来（共三个）。

空	山	新	雨	后	天	气	晚	来	秋
明	月	松	间	照	清	泉	石	上	流
竹	喧	归	浣	女	莲	动	下	渔	舟
随	意	春	芳	歇	王	孙	自	可	留

17. 找到带有"冫"部的字并把它们描出来（共四个）。

好	雨	知	时	节	当	春	乃	发	生
随	风	潜	入	夜	润	物	细	无	声
野	径	云	俱	黑	江	船	火	独	明
晓	看	红	湿	处	花	重	锦	官	城

18. 找到带有"亻"部、"阝"部和"冫"部的字并把它们描出来
（各两个）。

岱	宗	夫	如	何	齐	鲁	青	未	了
造	化	钟	神	秀	阴	阳	割	昏	晓
荡	胸	生	曾	云	决	眦	入	归	鸟
会	当	凌	绝	顶	一	览	众	山	小

19. 找到带有"山"部、"木"部、"辶"部和"又"部的字并把它们
描出来（各两个）。

三	上	北	高	峰	杭	州	一	望	空
飞	凤	亭	边	树	桃	花	岭	上	风
热	来	寻	扇	子	冷	去	对	美	人
一	片	飘	飖	下	欢	迎	有	晚	鹰

20. 找到下面字中所有的"优"字并把它们描出来（共四个）。

仪	表	不	凡	乐	于	助	人	优	七	步
之	才	专	心	致	志	和	而	不	同	优
坚	持	不	懈	埋	头	苦	干	一	表	人
才	全	心	全	意	坚	韧	不	拔	优	出
口	成	章	堂	堂	正	正	一	马	当	先
砥	砺	奋	进	优	奋	发	图	强	认	真

21. 找到下面字中所有的"秀"字并把它们描出来（共五个）。

全	心	全	意	秀	出	口	成	章	卓	尔
不	群	同	舟	共	济	仪	表	不	凡	专
心	致	志	壮	志	凌	云	大	公	无	私
大	显	身	手	秀	奋	发	图	强	威	风
凛	凛	秀	字	字	珠	玑	坚	韧	不	拔
秀	学	富	五	车	后	起	之	秀	努	力

22. 找到"你要认真"四个字并把它们描出来。

你	博	学	多	才	见	多	识	广	才	高
八	斗	要	学	富	五	车	文	治	武	功
谈	笑	风	生	运	筹	帷	幄	认	言	简
意	赅	砥	砺	奋	进	远	见	卓	识	坚
持	不	懈	出	口	成	章	气	贯	长	虹
出	类	拔	萃	大	显	身	手	真	优	雅

23. 找到"克服急躁"四个字并把它们描出来。

气	势	磅	礴	克	一	鸣	惊	人	叱	咤
风	云	服	十	全	十	美	无	懈	可	击
字	字	珠	玑	励	精	图	治	壮	志	凌
云	急	高	瞻	远	瞩	盖	世	无	双	一
丝	不	苟	明	察	秋	毫	英	明	果	断
奋	发	图	强	高	屋	建	瓴	躁	乐	观

24. 找到与左图对应的字并把它描出来（共一个）。

豺 鸭 鱼 兔 鹿
犬 猿 鳄 驴 鸡
驼 猫 蛇 猪 狼 狈 雀
狗 貂 猴
熊 蜂 羊 麋 豹 马 骡 豚 燕
鼠 龙 鹰 狮 羚
獐 鸟 獾 猹 犀 虎 蚁 雁
豚 牛 狸

25. 找到与左图对应的字并把它们描出来（共两个）。

莓 青 枝 西 莲 族 杨 柚
桑 香 甚 榴 甜 白 红 草 哈 柳
木 竹 龙 橘 覆 子 毛 仁 山 柑 乌 核
桃 蓝 杷 女 苹 黑 葡 火
金 盆 橙 丹 桔 橄 柠 石 眼 坚 榴 圣
水 枣 榄 樱 萄 蔓 番 梨 莲
荔 蔓 果 李 异 檬 桃
猕 蜜 芒 龙 蜜 柿 奇 楂

26. 找到与左图对应的字并把它们描出来（共三个）。

吉 算 吉 也 自 这 循 速 显 部 马 火 了
来 环 工 发 提 个 平
火 通 有 交 的 史 的 们 力 之 迅 也 是 上 水 对 大
水 高 行 工 通 著 在 行 促 良 展 在 三 公
史 相 具 人 共
后 船 利 被 水 国 战
工 具 巨 大 智 上 次 集
进 后 车 飞 交 落 马 场 每 聚
跃 野 摩 托 最
间 朝 野 野 间 不 久 在 时 代 顶 用 作 尖
流 形 小
范 围 良 交 野 成 会 战 期 都 工 具 良 种 电
区 别

27. 找到与左图对应的字并把它们描出来（共三个）。

薪 卧 解 薪 木 甚 薪 电 甚 卧 求 解 解
求 卧 胆 木 入 木 入 入
不 三 入 入 解 尝 解 求
薪 入 卧
入 求 甚 薪 木 不 不 木 尝 木
卧 分 解 甚 木 甚 三 胆 分 卧 甚
尝 尝 分 甚 卧 薪 尝 入 分 三 解 卧 求
解 三 木 胆 甚 木 尝 三 二 胆 木 风
入 求 薪 甚 不 入 不 卧
求 三 胆 求 解 薪 解 尝 三 薪 三 二 尝 不 薪 卧
甚 求 尝 三 薪 扇 胆 求 薪
分 分 不 分 分 分 胆 分 胆 木 胆 不
求 尝 尝 求 尝 胆 甚

28. 找到"事勿忙　忙多错"六个字并把它们<u>描出来</u>。

弟	子	规	圣	人	训	首	孝	悌	次
谨	信	错	泛	爱	众	而	亲	仁	有
余	力	则	学	文	多	父	母	呼	应
勿	缓	父	母	命	行	勿	懒	忙	父
母	教	须	敬	听	父	母	责	须	顺
承	冬	则	温	夏	则	清	晨	则	省
昏	则	定	出	必	告	反	必	面	居
有	常	业	无	变	事	虽	小	勿	擅
为	苟	擅	为	子	道	亏	物	虽	小
勿	私	藏	苟	私	藏	亲	心	伤	亲
所	好	力	为	具	亲	所	恶	谨	为
去	身	有	伤	贻	亲	忧	德	有	伤
贻	亲	羞	亲	爱	我	忙	孝	何	难
亲	憎	我	孝	方	贤	亲	有	过	谏

29. 找到"玉不琢 不成器 人不学 不知义"十二个字并把它们描出来。

人	之	初	性	本	善	性	相	近	习
相	远	苟	不	教	性	乃	迁	教	之
道	贵	以	专	昔	孟	母	择	邻	处
子	不	学	断	机	杼	窦	燕	山	有
义	方	教	五	子	名	俱	扬	养	不
教	器	父	之	过	教	不	严	师	之
惰	子	不	学	非	所	宜	幼	不	学
老	何	为	为	人	子	方	少	时	亲
师	友	习	礼	仪	香	九	龄	能	温
席	孝	于	亲	所	当	执	融	四	岁
能	让	梨	弟	于	长	宜	先	知	玉
首	孝	悌	次	见	闻	知	某	数	识
某	文	一	而	十	十	而	百	百	而
千	千	而	万	成	三	才	者	琢	天

30. 找出左右两个区域中不同的字并把它们描出来（每个区域
    各找出三个字）。

优	雅	端	庄
山	高	水	远
一	气	呵	成
一	气	吞	河	山
力	争	上	游
孜	孜	以	求
高	谈	阔	论
风	华	正	茂
举	世	无	双
功	成	名	就
赫	赫	有	名
宽	宏	大	量
高	风	亮	节
砥	砺	奋	进
不	忘	初	心

孜	孜	不	倦
高	谈	阔	论
山	高	水	长
风	华	正	茂
举	世	无	双
功	成	名	就
端	庄	优	雅
气	吞	山	河
宽	宏	大	量
力	争	上	游
高	风	亮	节
一	气	呵	成
赫	赫	有	名
不	忘	初	心
砥	砺	奋	进

31. 找到左右两个区域中相同的字并<u>描出来</u>（找出五对）。

临	江	仙	饮
散	离	亭	西
去	浮	生	长
恨	飘	蓬	回
头	烟	柳	渐
重	重	淡	云
孤	雁	远	寒
日	暮	天	红
今	夜	画	船
何	处	潮	平
淮	月	朦	胧
酒	醒	人	静
奈	愁	浪	残
灯	孤	枕	梦
轻	浪	五	更
风	徐	昌	图

临	江	仙	滚
滚	长	江	东
逝	水	浪	花
淘	尽	英	雄
是	非	成	败
转	头	空	青
山	依	旧	在
几	度	夕	阳
红	白	发	渔
樵	江	渚	上
惯	看	秋	月
春	风	一	壶
浊	酒	喜	相
逢	古	今	多
少	事	都	付
笑	谈	中	。

32. 红豆生南国，春来发几枝。愿君多采撷，此物最相思。

——《相思》唐·王维

在下面找出上面诗中<u>没有的字</u>并<u>描出来</u>（共四个）。

红	南	生	豆	红	发	相	发	字	相
采	豆	生	撷	春	最	来	思	思	唐
采	多	没	南	有	撷	来	王	相	最
愿	国	君	几	此	国	物	春	几	枝
多	君	枝	愿	此	的	最	物	维	思

33. 春眠不觉晓，处处闻啼鸟。夜来风雨声，花落知多少。

——《春晓》唐·孟浩然

在下面找到与上面诗中<u>相同的字</u>并<u>描出来</u>。

驿	外	断	风	桥	边	眠	寂	寞	来
处	开	声	无	孟	主	已	闻	是	知
黄	昏	春	独	自	雨	愁	浩	更	著
晓	风	和	夜	雨	无	不	意	落	苦
争	春	觉	一	任	处	群	芳	然	妒
零	花	落	成	鸟	泥	碾	啼	作	尘
只	有	香	少	如	故	卜	算	多	子

34. 一去二三里，烟村四五家。亭台六七座，八九十枝花。

————《山村咏怀》宋·邵康节

请在下方字影中<u>描出本诗</u>，并在每个字的左上角<u>标明序号</u>。

实心圆圈不必填写序号。

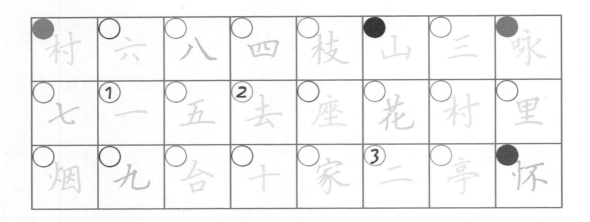

35. 床前明月光，疑是地上霜。举头望明月，低头思故乡。

————《静夜思》唐·李白

请在下方字影中<u>描出本诗</u>，并在每个字的左上角<u>标明序号</u>。

实心圆圈不必填写序号。

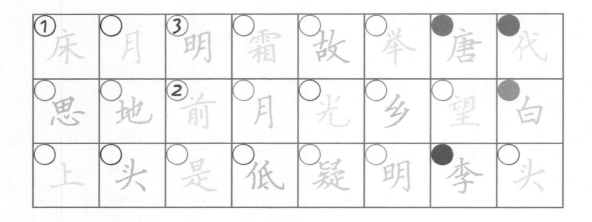

36. 昨夜雨疏风骤，浓睡不消残酒。试问卷帘人，却道海棠依旧。知否，知否？应是绿肥红瘦。

——《如梦令》宋·李清照

请在下方字影中<u>描出相应词句</u>，并在每个字的左上角<u>标明序号</u>。

实心圆圈不必填写序号。

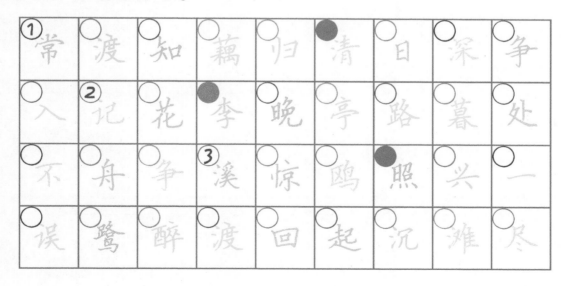

37. 常记溪亭日暮，沉醉不知归路。兴尽晚回舟，误入藕花深处。争渡，争渡，惊起一滩鸥鹭。

——《如梦令》宋·李清照

请在下方字影中<u>描出相应词句</u>，并在每个字的左上角<u>标明序号</u>。

实心圆圈不必填写序号。

观察 + 模仿能力训练

1. 简单线条（注意线条的长短和位置）

2.笔法基础（注意示范图形的大小和位置）

-51-

3. 笔法基础（注意示范图形的大小和位置）

4. 笔法基础（注意示范图形的大小和位置）

书写基本功 + 专注力训练

要求:

铅笔书写
（可重复使用）

悬肘、悬腕
（增加胳膊、手腕力量）

高执管
（增加控笔能力）

书本放平整
（便于书写）

禁用尺子
（徒手书写）

1. 描点练习

描在圈内为合格

涂满圆圈为优秀

出圈为不合格

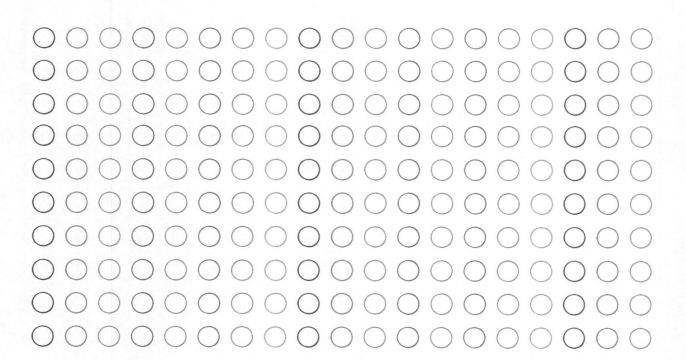

2.横线练习

时刻注意悬肘、悬腕、高执管。

描在轮廓内为合格　　　　　描平直为优秀　　　　　描出轮廓为不合格

3. 竖线练习

时刻注意悬肘、悬腕、高执管。

描在轮廓内为合格　　　　　描竖直为优秀　　　　　描出轮廓为不合格

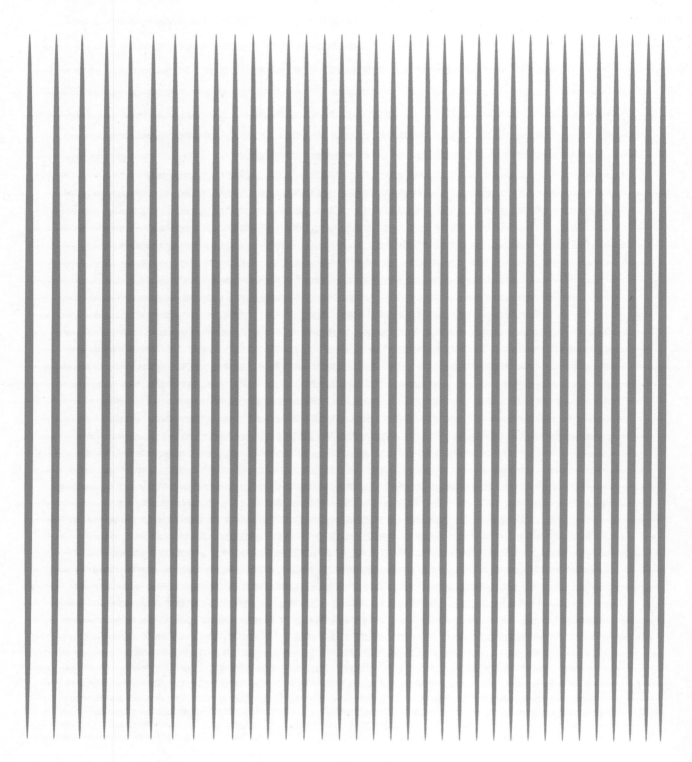

4. 横向连续画线、竖向连续画线

如右图所示，悬肘、悬腕、高执管，连贯书写（中途不要停）。书写时应全神贯注，不讲话、不走神。

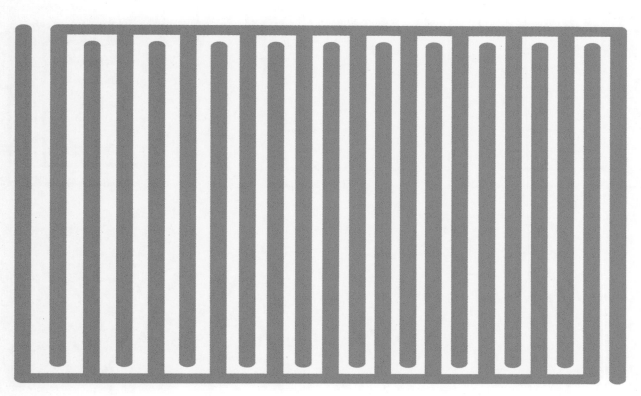

5. 波浪线练习

（在间隙内书写，规则如前）时刻注意悬肘、悬腕、高执管。

6. 螺旋练习

（在间隙内书写，规则如前）时刻注意悬肘、悬腕、高执管。

7.螺旋练习

（在间隙内书写，规则如前）时刻注意悬肘、悬腕、高执管。

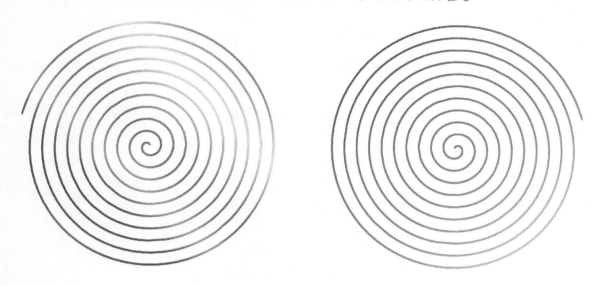

8.迷宫练习

（在间隙内书写，规则如前）时刻注意悬肘、悬腕、高执管。

"全方法硬笔楷书教程" 系列简介

核心特点：

★ 多方法讲授与练习　★ 量化评价体系　★ 应试应考知识点

★ 生字配套视频　★ 艺术赏鉴　★ 注重习惯养成和练习反馈

  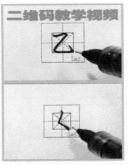  

《笔画讲习及书写专注力训练》：笔法路线图、视频讲解、练字常见问题、专注力练习、基本功练习等。

  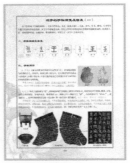  

《汉字笔画的运用》：习字口诀、字体辨识、易错笔顺、造字法讲解、笔画大全、练字的基本常识等。

 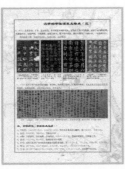   

《汉字的结构规则》：名家赏析、汉字的结构讲解与练习、古诗临摹、作品展示、教师评语、繁简字对照等。

 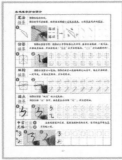  

《高频常用字》：练字法讲解、模仿能力小测试、量化评价及反馈、阶段性检验、多方法讲解及练习等。